Cet ouvrage a été publié avec le soutien
du Conseil des Arts du Canada

Dépôt légal - 2e trimestre 1990
Bibliothèque nationale du Québec
Bibliothèque nationale du Canada
© Les éditions du Raton Laveur, 1990
C.P. 300
Succ. Laflèche
St-Hubert (Qc)
J4T 3J2

Imprimé au Canada

CACHETTES
ET
CAMOUFLAGES

François Caumartin

Les éditions du Raton Laveur

Siméon, chasseur de grande réputation, possédait chez lui de nombreux trophées.

Mais les plus beaux lui manquaient encore.

Aussi décida-t-il un beau matin de boucler ses valises et de partir pour les pays chauds.

Des tropiques à l'équateur, la nouvelle se répandit et laissa bien du monde songeur.

Le Conseil des Animaux se réunit et décida que, devant pareil danger, il fallait réagir et se mettre à l'abri.

«Aux grands maux, les grands remèdes», barrit l'éléphant. «L'union fait la force», grogna le rhinocéros. «Trouvons des solutions!» rugit le lion.

Aussitôt dit, aussitôt fait. On sortit peinture et pinceaux et tous mirent la patte à la pâte afin de trouver pour chacun la meilleure cachette, le meilleur camouflage.

Si bien qu'à son arrivée Siméon fut bien surpris.
N'étaient visibles que fleurs, rochers et
pâturages.

Il eut beau scruter l'horizon, il n'y avait plus dans
les parages aucun animal sauvage.

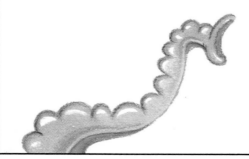

Il eut beau traverser les savanes et les plaines,
il ne vit aucun animal féroce. Pas même un
rhinocéros...

Il croisa bien quelques vaches qui distraitement
levèrent la tête...

...Ou encore quelques flamants roses qui le regardèrent un peu nerveusement...

Mais c'était là bien trop maigres trophées pour un chasseur de la trempe de notre Siméon !

Pendant des jours, des semaines, des mois, il parcourut des régions entières.

Il visita mille cavernes, franchit mille ravins, fouilla les berges de mille rivières... Mais sans succès. Tout semblait vide. Tout semblait abandonné.

«Allons voir plus loin dans la forêt», se dit enfin Siméon.

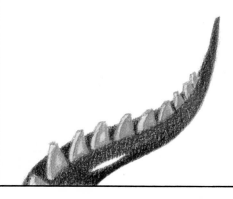

Mais au cœur de la jungle, il ne vit rien non plus.

Découragé, il s'appuya contre un arbre, pour se reposer un peu...

«Je dois me rendre à l'évidence, se dit-il. Il n'y a plus de gros gibier à chasser par ici...»

Et c'est ainsi que Siméon rentra chez lui,
sans avoir vu ni tigre, ni éléphant, ni rhinocéros,
ni hippopotame, ni crocodile, ni girafe, ni lion...

Quelle déception !

Pour tous les animaux réunis de nouveau, ce fut un grand jour de fête.

Et en souvenir de Siméon, on composa ce petit refrain :

CHASSEURS DE TOUTES LES NATIONS,
LAISSEZ VOS ARMES À LA MAISON.
SI VOUS AIMEZ LES ANIMAUX,
PRENEZ PLUTÔT QUELQUES PHOTOS...